学ぶ人は、
変えて
ゆく人だ

目の前にある問題はもちろん、

人生の問いや、社会の課題を自ら見つけ、

挑み続けるために、人は学ぶ。

「学び」で、少しずつ世界は変えてゆける。

いつでも、どこでも、誰でも、

学ぶことができる世の中へ。

旺文社

学校では
教えてくれない
大切なこと 32

災害を知る

マンガ・イラスト オオタヤスシ

旺文社

はじめに

テストで100点を取ったらうれしいですね。先生も家族もほめてくれます。でも、世の中のできごとは学校でのテストとは違って、正解が1つではなかったり、何が正解なのかが決められないことが多いのです。

「私はプレゼントには花が良いと思う」「ぼくは本が良いと思う」。どちらが正解ですか。どちらも正解。そして、どちらも不正解という場合もありますね。

山登りで仲間がケガをして動けない。こんなときは「動ける自分が方位磁石にしたがって下りてみる」「自分もこのまま動かずに救助を待つ」。どちらが正解でしょう。状況によって正解は変わります。命に関わることですから慎重に判断しなくてはなりません。

このように、100点にもなり0点にもなりえる問題が日々あふれているの

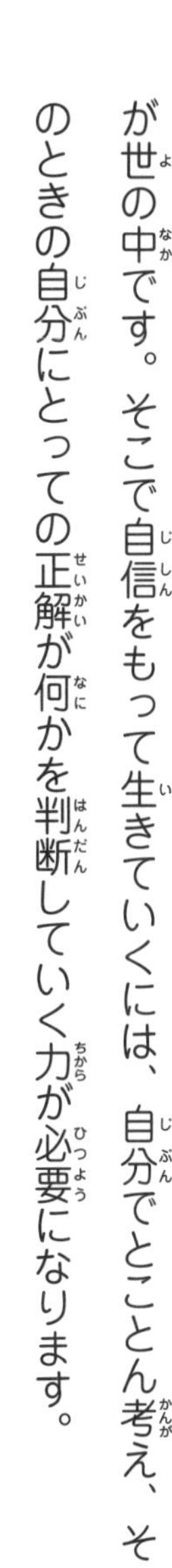

が世の中です。そこで自信をもって生きていくには、自分でとことん考え、そのときの自分にとっての正解が何かを判断していく力が必要になります。

本シリーズでは、自分のことや相手のことを知る大切さと、世の中のさまざまな仕組みがマンガで楽しく描かれています。読み終わったときには「考えるって楽しい！」「わかるってうれしい！」と思えるようになっているでしょう。

本書のテーマは「災害」です。皆さんも災害がこわいものだと知っていても、ふだんは何も意識していないと思います。でも、何も起こっていない時に知識を深めておかなければ、いざという時に冷静に行動することができません。この本を読んで、災害の種類と仕組みを理解し、日頃から防災意識を高めていきましょう。

旺文社

もくじ

スタッフ
●編集
竹内元樹
●編集協力
小暮香奈子
（株式会社スリーシーズン）
森田香子
●装丁デザイン
木下春圭
●本文デザイン
木下春圭
菅野祥恵（株式会社ウエイド）
●装丁・本文イラスト
オオタヤスシ
(Hitricco Graphic Service)
●校正
株式会社ぷれす

する仲間たち

備江家の居候!? ①

タヌポン

●防災の神様。
●口調は少々荒っぽいが，ハルトに常にぴったりくっついて，その成長を見守っている。

備江家

ハルト（備江春人）

●備江家の長男，小学４年生。
●好奇心おう盛で，見た目や響きのカッコよさを重視するタイプ。
●勉強や運動はややニガテだが，「恐竜」が大好き。

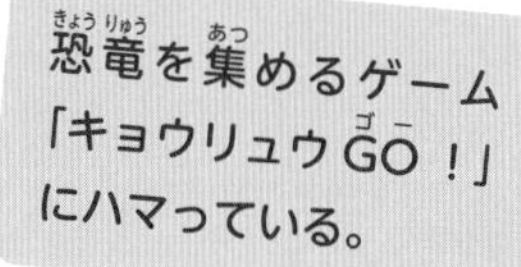

この本に登場

備江家の居候!? ❷

シーサー

- 防災の神様。
- のんびりと穏やかな性格ながら，備江家の防災力をＵＰするためにビシッと突っ込みを忘れない。

フユミ（備江冬実）

- ハルトの妹，小学１年生。
- おっとりしていて，怖がりな性格。
- おままごとが好き。

お気に入りのぬいぐるみ「あーちゃん」を常に持ち歩く。

お母さん（備江夏子）

- 専業主婦。
- 怒ると怖いが，本当はとても子ども思い。
- 口グセは「あんたたち、いいかげんにしないと……」

お父さん（備江広秋）

- 会社員。
- やさしくて，防災知識も豊富だが，やや頼りなく見えるところも…。
- 「フム…」と少し考えてからしゃべりだすことが多い。

美肌に気を使っている。温泉が好き。

釣りをこよなく愛する。

ある日曜日——。
わあー!!
わぁー!
ガオー
ガオー
ガガガ
オー
うぉ〜
コノヤロ〜
うぎゃ〜
ブンブン
うるさいお兄ちゃんでちゅねー、あーちゃん♪
ポロ

あ〜〜……。
コロコロ
やべー、どこいったんだろー。
すげー草…
ガサガサ
あっ
キラッ
こっ、これは…!
何日か前。
ビックリNEWS
小学生が恐竜発見!!
まさか恐竜とはビックリっすよ。
ほえ〜すげ〜な〜
モヤモヤモヤ
まさか恐竜の化石じゃ…。
こりゃチャンスあるぞ!!

うおおおおおおぉ!!
ザザザザ
ザザザ
おーい、ハルト。探し物は見つかったかー？
うおおおぉ
大丈夫かオイ…
父さん、これ何だと思う？
ハァ ハァ ハァ ハァ
フム…。ダチョウの卵に似てるなぁ…。
あら、おいしそうな卵じゃない…。
スーッ
グゥ～

ダ、ダメだよ！
僕が見つけたんだから！
ダッ
ウフフフ…
いいもん見つけたな、恐竜の卵かもなー…。
スクープ
10才にして誕生!! 恐竜博士
そゆことすね…
あーそーなの…
プロフェッショナルとは好きなものを追いかけることなんですよね。
モク
モク
モヤモヤ
ウへへへ…

…大型台風が列島を通過する恐れがあり…
台風日本列島直撃か
大型の台風か。週末まで引っ張らないといいいな…。
パパ、まさか日帰り温泉のこと忘れてないわよね？
ピクッ
ギクッ
は、箱根とかいいんじゃない？
ササッ
これみてよこれ!!
あん？
そーねー、箱根もいいわねー。
温泉ガイド
でも天気が心配だね。
そうねえ…
温泉ガイド

1章(しょう)

天気(てんき)の災害(さいがい)

台風って何！

ビュウウウウ
ビュウ
よーし、レアキャラを捕まえにいくぞーー！
キョウリュウGO
お兄ちゃん、さっき天気予報で台風が来るって言ってたじゃん…。
台風が来たらダッシュで帰ってくりゃいいじゃん。
ムッ
オレのアイス食うなよ
カチャ
ただいまー。ん？
ハルト、まさか今から遊びに行くつもりじゃないよな？
だってこの間の雨の日は傘さしながらキョウリュウGOやったじゃん。

雨と台風の違いって？

雨の場合

① 太陽の熱で地面の空気が温められると上昇して，水滴や氷の粒ができる。それが集まると雲になる。

② 水滴や氷の粒がくっついて大きくなると雨になり，降ってくる。

台風の場合

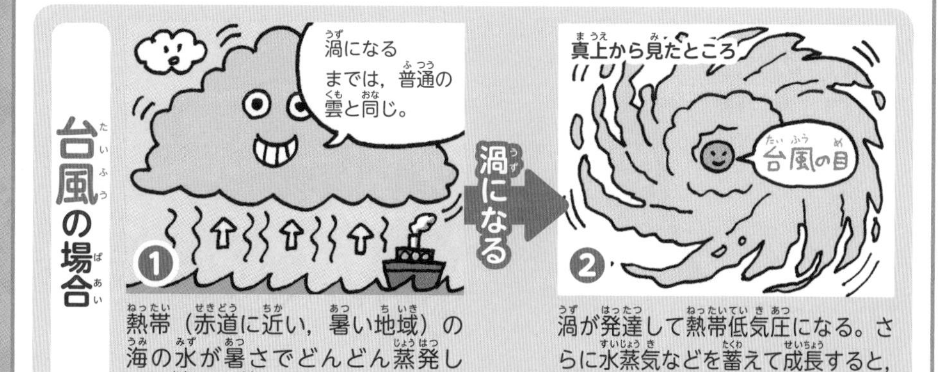

① 熱帯（赤道に近い，暑い地域）の海の水が暑さでどんどん蒸発して，大きな雲がいくつもできる。

② 渦が発達して熱帯低気圧になる。さらに水蒸気などを蓄えて成長すると，激しい雨と風をもたらす台風になる。

じゃあさ、台風の風にうまく乗れたら空、飛べるんじゃね？
ふわ〜なんちて
つまんねー
いいかげんにしなさい!!
しえー
パパ！ちゃんと説明したのよね？
そ…そんな…
ほんじゃ、いってきまー…
ガッ
まてコラ
うわあああ
私はパパとは違うのよ…。出かけたら許さないからね…。

台風のときにしてはいけないこと

屋外なら

傘をささない

川や海の近くに行かない

山に行かない

自宅なら

外出しない

地下や低いところに行かない

エレベーターを使わない

こちらはものすごい風と雨で…キャッ。
NEWS 18:00
バサッ
ビュウウ
ビュウウウ
傘がこわれてしまいました!!
じー…
ほらな。強風だと傘がこわれちゃうんだよ。
キャー
テレビ近くないか？
NEWS 18:05
ビュウウウ
マジでヤバいって!!
キョウリュウGO。スポット
こんなとこにもキョウリュウGOスポットがあるのか…!?
キョウリュウGO。スポット
んゴク

台風って何？

暑い熱帯地域の海上で発生した熱帯低気圧（台風のもと）がどんどん大きくなりながら，風にのって移動。やがて台風となって，日本などに接近，上陸する。

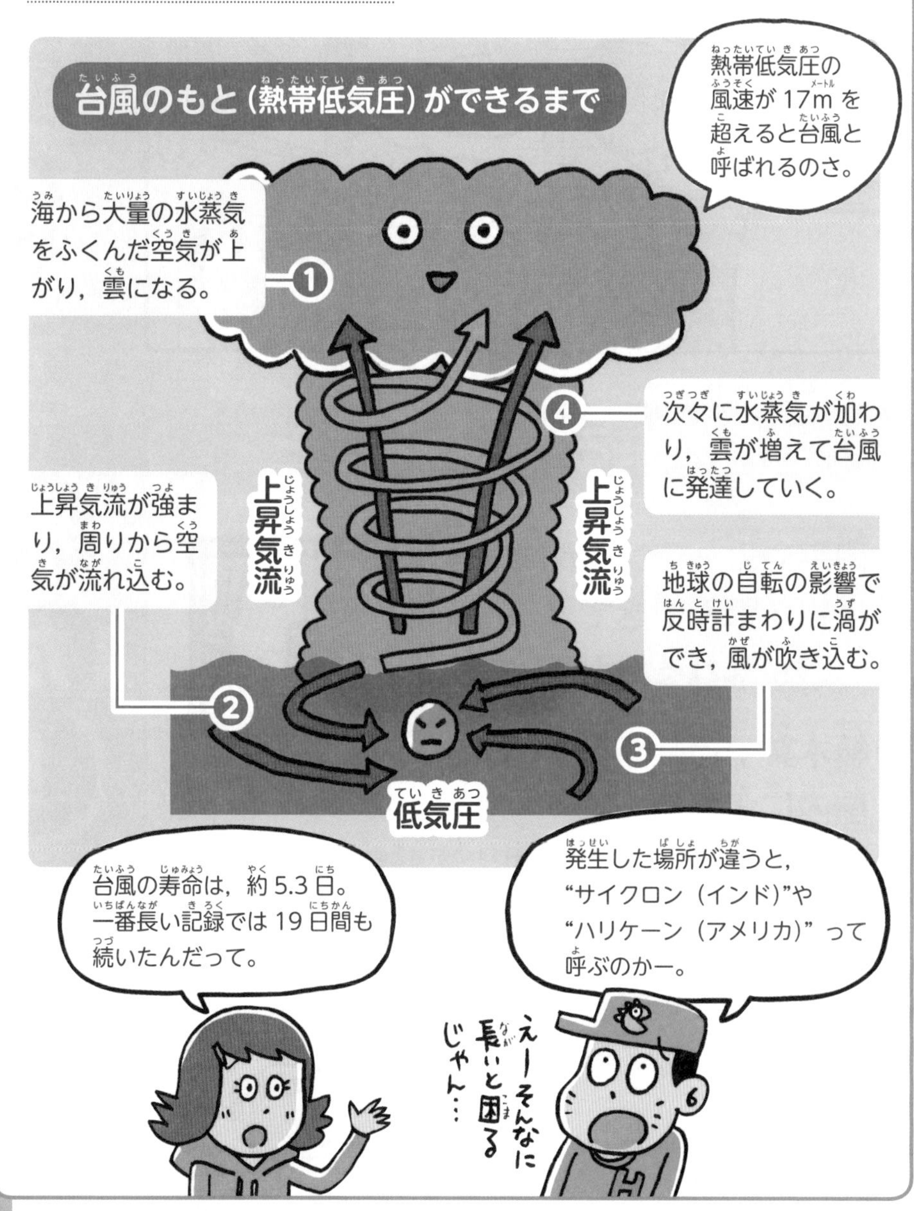

台風がやってきた！

台風が来る前にすること

□雨戸やカーテンを閉める
➡物が飛んできて
窓が割れるかも!?

□植木鉢や自転車を
屋内に入れる
➡飛んでしまって周囲に迷惑を
かけるかも!?

□いろいろな容器に
水を貯める
➡断水に備えよう

□懐中電灯やラジオを準備する
➡停電に備えよう

□食事やお風呂を先に済ませる
➡水道やガスなどが止まって，
不便になるかも！?

□テレビやホームページ，
ラジオで情報を集める
➡台風の進路以外にも知って
おきたいことがある！

できるうちに準備することが
大切なんだ！

台風、だいぶ落ち着いてきたわね。
うん よかった。
ねえ、ちょっと これ 見てよー。
あら、光ってるわね…。
ピカー
なんか ヒビが 入ってきたよ…。
ピキ
え!?
パリパリ
パリ
カッ
んあ?
ちぃ~っす!

台風について教えて！

強い風と雨が襲ってくる台風。風が風速 17m 以上になると台風と呼ばれるんだ。

やや強い風　風速 10 ～ 15m

風に向かって歩きにくくなり，看板などいろいろなものが飛んでくる。

強い風　風速 15 ～ 20m

傘もさせず，転ぶ人も。屋根瓦が一部はがれ，雨戸やシャッターが揺れる。

風速 17m 以上が台風！

非常に強い風　風速 20 ～ 30m

何かにつかまらないと立っていられない。木が倒れ始め，道路標識が傾く。

台風の強さは，最大風速によって決まる！

階　級	最大風速
強い台風	33m 以上 44m 未満
非常に強い台風	44m 以上 54m 未満
猛烈な台風	54m 以上

外の空気吸うの、
めっちゃ
久しぶりやわ〜。
コテン
こいつ、
しゃべった
ぞーー!
あ痛っ
ズキューン
か…
かわいいい!
キュン♡
ラブリーー♡
バッ
おわー!
どうした、フユミーー!
名前は…
うーん…。
"タヌポン"
ねっ!!
タ、タヌポン?
かわいいー!!!!
ん?
およ?
あー…♡
ズキューン

台風の進む経路って？

台風は，発生する場所と時期で進む経路が変わるよ。

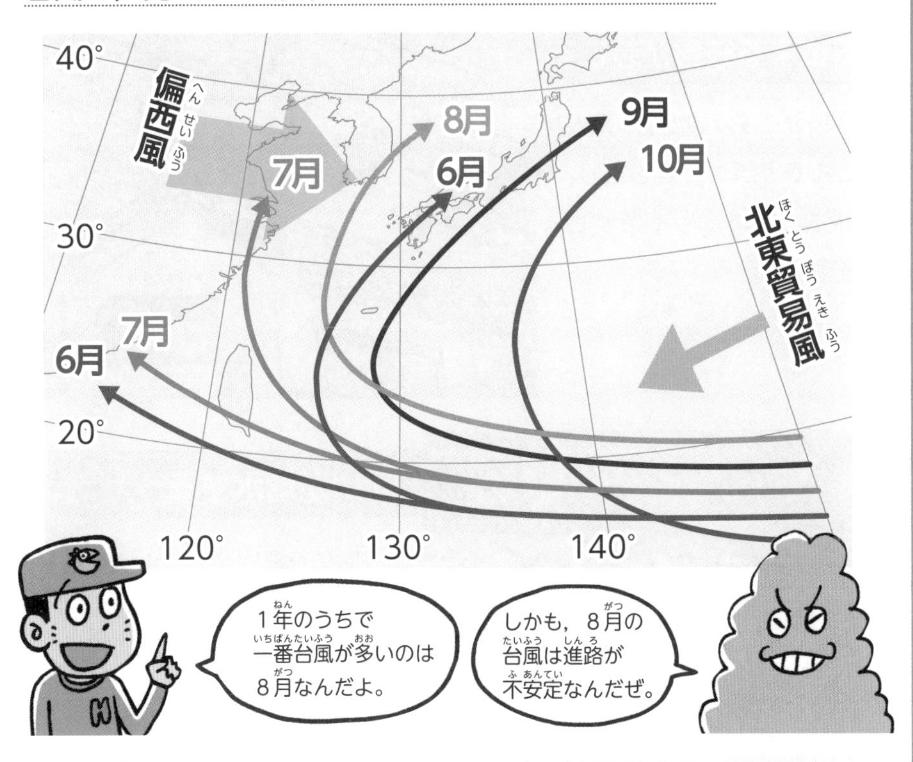

日本の台風の数え方を教えて！

毎年最も早く発生した台風を１号として，発生順に番号で数えるよ。

来たら起こること

強風による被害が起こる

家の屋根がこわれたり，飛んできた物で人がケガをしたり，台風の強い風によってたくさんの被害が起きる。

河川が増水する

大雨で大量の水が川に流れ込むと，川の水位が上がり，流れも激しくなる。人が流されて亡くなる事故も。

地下が浸水する

大雨で排水溝や下水道があふれ，地上が冠水すると，次は地下施設に水が流れ込み，停電などが起きる。

台風が

ライフラインが止まる

強風で電柱が倒れて停電が起きたり，大量の土砂が浄水施設に流れ込んで水道が止まったりする。

高潮が起きる

台風がもたらす強い低気圧や強風によって，海水が吹き寄せられることで，海面が上昇する。

台風は夏の方が被害が大きいけど，冬や春にも発生してるのよね。

台風は1年間に26個ぐらい発生してるんやて。

非常用持ち出し袋を作ろう!
おままごと中
はーい、お着がえしましょうねー♥
タヌポン、素敵よっ!
わしは守り神やー!人形ちゃうで!
あらあら
おこるでしかしー!!
ズキュン
さあさあ、おやつにしようかねー。
…ゴゴゴゴ
ん?
ハルトもそろそろおやつ食べなさ…
ガラ

非常用持ち出し袋はなぜ必要？

災害後の数日間を，自宅または避難先で過ごすことになると…

電気やガス，水道などが使えなくなる!?

店などが閉まって買い出しにも行けない!?

いつ起こるかわからない災害に備えて用意しておこう。

非常用持ち出し袋づくりの 3STEP

❶ 持ち運びやすいバッグやリュックを用意。

❷ 数日間，旅行するときの持ち物を参考に，必要なものを考える。

❸ 非常用に必要なものを❷にプラスする。

例 非常食やトイレットペーパー，携帯用トイレなど。

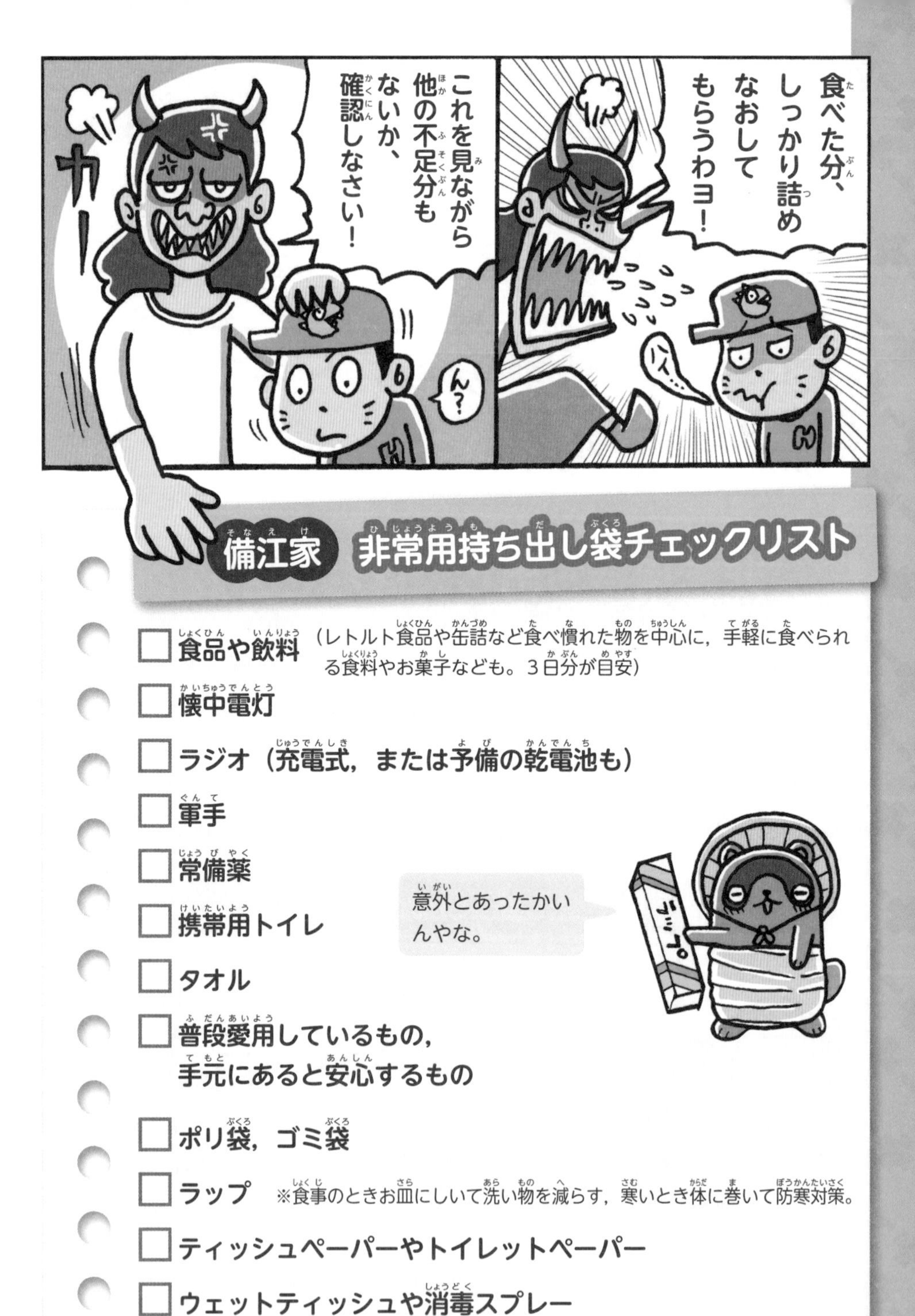
食べた分、しっかり詰めなおしてもらうわヨ！
ハ…
カーッ
これを見ながら他の不足分もないか、確認しなさい！
ん？
備江家　非常用持ち出し袋チェックリスト
□ 食品や飲料（レトルト食品や缶詰など食べ慣れた物を中心に，手軽に食べられる食料やお菓子なども。3日分が目安）
□ 懐中電灯
□ ラジオ（充電式，または予備の乾電池も）
□ 軍手
□ 常備薬
□ 携帯用トイレ
□ タオル
□ 普段愛用しているもの，手元にあると安心するもの
□ ポリ袋，ゴミ袋
□ ラップ　※食事のときお皿にしいて洗い物を減らす，寒いとき体に巻いて防寒対策。
□ ティッシュペーパーやトイレットペーパー
□ ウェットティッシュや消毒スプレー
意外とあったかいんやな。
ラップ

え〜っと…
つたくも〜。そんなに怒らなくてもいいじゃんか…。
常備薬
携帯用トイレ
タオル
普段愛用しているもの
手元にあると安心する
ポリ袋、ゴミ袋
ラップ
ハッ
普段愛用しているもの！
手元にあると安心するもの！
おあ
ぶ
バス
バス
よしっと、これで安心！
ちょいと重いかな？
パッツン
パッツン
バリッ
いーかげんにしなさい、まったく！
あんたもえーかげんにせー！！
ねー♡
むぎぎ…

非常用持ち出し袋の置き場所

場所	良いところ	悪いところ
玄関	●避難するとき必ず通る。	●人の目につきやすい。 ●避難の妨げになることも。
キッチン	●手が届きやすい。	●間取り的にせまいことが多い。
リビング	●1日の大半を過ごす。 ●手が届きやすい。	●人の目につきやすい。 ●スペースがない。
寝室	●寝ている間に災害が起きても，すぐ手が届く。	●寝室の位置によっては，取り出しに時間がかかる。
脱衣所	●お風呂に入っていてもすぐ手が届く。	●湿気が気になる。ジメジメ。
トイレ	●家の中でもわりと安全。	●せまい。 ●臭いがやや気になる。

非常用持ち出し袋の見直し方って？

トイレットペーパーの場合

備える，
ストックする。

古いもの
から使う。

使った分
だけ買う。

普段よく使っている
もので考えればいいね。

特別なこと
やないんやな。

水や食料品もそうね

落雷を避けるには？

おうぶん公園
じゃあ遊びましょー。
オッケー！何しよっか。
ポイ
およ？
コロリン
な…なんや…。
フフフフ…
缶ケリやるぞー！
いてー
カコーン
ゴロゴロゴロ
どこだ
オーイ
んあ？

なんか空が暗くなってきたし、もう帰ろうよ。
ゴロゴロ
え〜〜。
なんか怖いしさー…。
雨降ったら傘さしてやろうぜ！
すぐみつかるじゃん…
雷が近づいて危ないからもうやめよう。
オニが嫌になったんじゃねーの？
あっめっかっちゃった
実はそこが一番危ないんやで…。
え…
う…
スーーーン
あ…
あの建物の中に入ろう！
ゴロゴロ
ゴロゴロ
公民館

雨のもととなる雲（p.15 参照）の中で，あられと氷の粒が上下に動き回ると，その摩擦で静電気ができる。

➡ それがたまると雷になる！

雷の年間発生日数とよく起こる場所

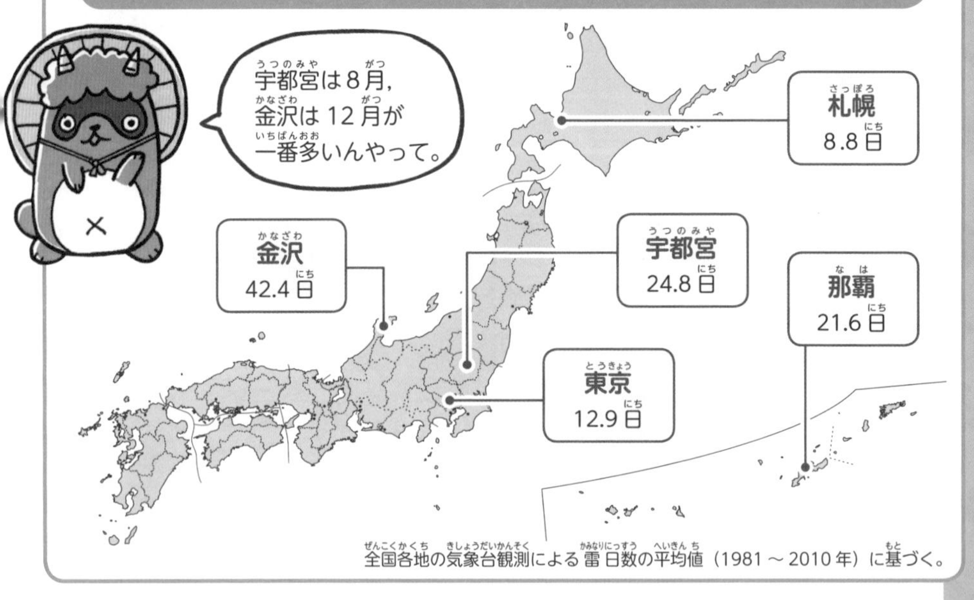

全国各地の気象台観測による雷日数の平均値（1981～2010年）に基づく。

落雷から身を守るためには？

とにかく室内へ！

雷が起きた場合は，とにかく室内に入ることが大切。避雷針（p.39参照）のある建物なら，なお安心。

高い木に近づかない

雷は，木や鉄塔など高いところや突き出たものに落ちやすいので，とにかく離れること。

姿勢を低くしてしゃがむ

近くに安全な場所がないときは，電柱など高いものから4m以上離れ，地面に手をつかずにしゃがむ。

雷が鳴っているときは，家の中でも水や電化製品を通して感電する危険があるんだよ。

カッ
ザーー…
ハァハァ
ゴロゴロ
ドーン
わっ
めっちゃ近くに落ちたよなーー!
ガチでビビったぜー!…
ドキドキ
ザー
プスプス…
プスプス
プスプス
プスプス
当たったで…
わしも連れていかんかい…。

避雷針の役割が知りたい！

避雷針って何？

建物の屋上から高く突き出すように設置された金属の棒。雲に近く，避雷針に雷を落ちやすくすることで，周辺の落雷被害を最小限に止める。

避雷針に雷が落ちるとどうなる？

電気を通しやすい金属でできていて，落ちた雷の電気は，そこから導線を通って，地中へ逃がすしくみになっている。

避雷針はどこにある？

20m を超える建物には設置の義務がある。ただし，避雷針で守られる範囲は限られているので，ゴロゴロと聞こえたらすぐに避難しよう。

ゲリラ豪雨は突然に

もしや… 豪雨を知らせるサイン？

真っ黒な雲

雷

冷たい風

こんな空になったら，安全な場所へ避難やで。

雨、降りそう。ダッシュしようよ！
そーねー…
そこ行きましょ。
タタタタ
タタ
降ってきちゃったわねー。
ポツ
1分後――
ポツ
ポツ
ポツ
2分後――
ザー…
3分後――
ひいいい
ブワワワー

ザー
困ったわねー。
ザー
いーなー。もうすぐ『ダイナソージャー』が始まるから帰ろうよー。
ダッシュすれば何とかなるっしょ…
まあ見とれよ、坊ちゃん。
グッ
道が川みたいで歩けないよ…。
遠回りするか…
じゃろっ!!
サッ

雨の強さの表現に決まりはある？

強い雨は5段階で表すよ！

キケン！

やや強い雨

1時間の雨量 10～20mm未満

ザーザーと降り，雨の音で話し声がよく聞き取れないくらいの強さ。地面一面に水たまりができる。

強い雨

1時間の雨量 20～30mm未満

傘をさしていてもぬれるほどの土砂降りの雨。寝ている人の半分ぐらいが雨音で雨に気づく。

激しい雨

1時間の雨量 30～50mm未満

バケツをひっくり返したような雨。道路に水があふれて川のようになり，山崩れなどが起きやすくなる。

非常に激しい雨

1時間の雨量 50～80mm未満

滝のようにゴーゴーと降り続く雨。水しぶきであたり一面が白くなり，視界が悪くなる。傘はまったく役に立たない。

猛烈な雨

1時間の雨量 80mm以上

息苦しくなるような圧迫感があり，恐怖を感じるほどの雨。大雨による大規模な災害が発生する恐れがある。

ねえ、ここも水浸しになっちゃうの？
ここは高台だから大丈夫じゃ！これを見てごらん！
ザッ
はざあどまっぷじゃよ!!
へ〜〜〜！
そういやわしがおじいさんと出会ったのはここで雨宿りをしたときでね…。
遠い目。
まいったナ…
ズキューン
あのときはまだまだわしも若くてな〜。おじいさんもかっこよくて一目ぼれじゃったんじゃけども…うんぬんかんぬん…
あ、雨やんだみたいね！
ポツ
ポツ
ポツ
ポツ
あっという間に二人は結ばれて将来を約束したのじゃ。そしてうんぬんかんぬん…
やんだのでお先に失礼します！
スタタタ

そもそも…ハザードマップって何？

ハザードマップは，地域の災害リスクを確認するために役立つ「命を守るための地図」。災害の種類ごとにあり，危険区域や避難場所などの情報がまとまっているよ。

（東京都渋谷区 HP より）

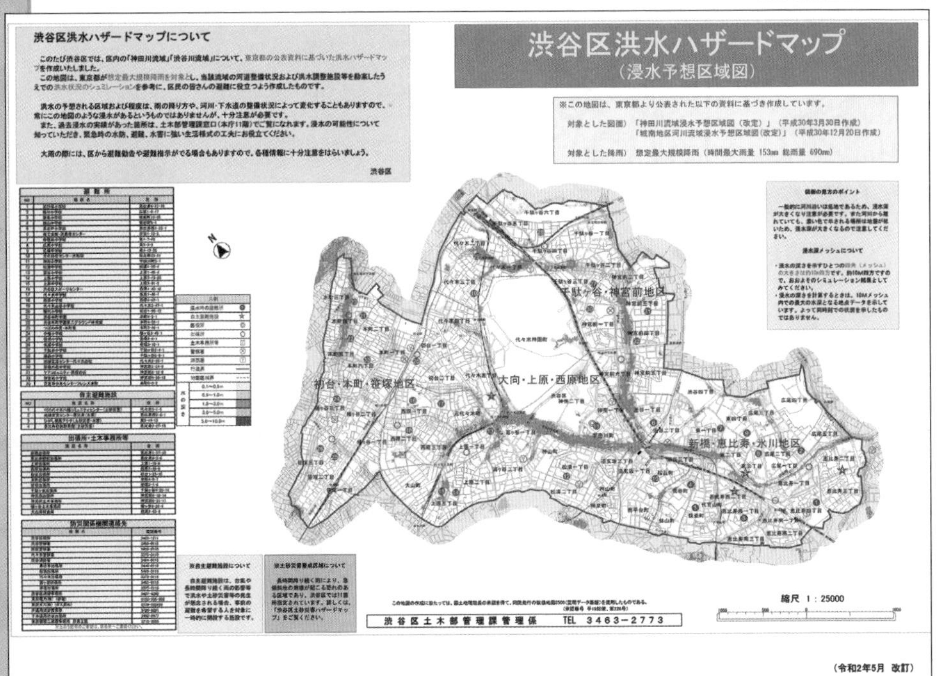

ハザードマップの主な種類

- **洪水**：大雨や台風による**浸水の程度や区域**がわかる。
- **土砂災害**：大雨や地震などによる**土砂災害の危険区域**がわかる。
- **火山**：噴火による**噴石や火砕流などの災害が及ぶ範囲**がわかる。
- **津波**：津波による**浸水などの被害が想定される区域や到達時間**がわかる。

近頃の豪雨問題❶ 都市型水害の原因

自然豊かな土地に雨が降ってきたら…

都市開発されたビル街に雨が降ってきたら…

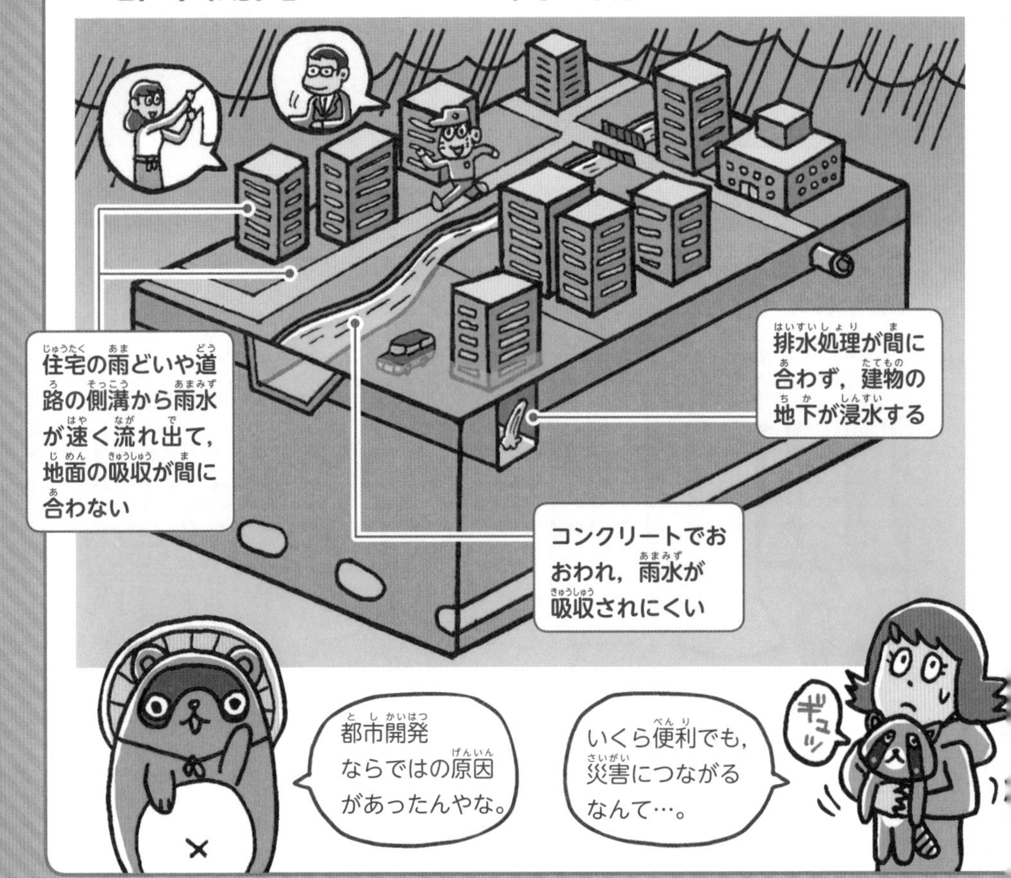

近頃の豪雨問題❷ 都市を守る工夫

ダム

台風や豪雨のときの貯水はもちろん，ときには放流するなどして水の量を調整しながら洪水を防ぐ。

堤防

主に川の氾濫や洪水から，人々の暮らしを守る構造物。こわれる被害が多く，補強工事も必要となる。

地下河川

地下空間を利用して作られた洪水調節施設は，川から流れてきた水をほかの川や海へ流す役割がある。

調節池

集中豪雨など急激に降った雨が，一度に下流に流れ込まないよう，一時的に貯めておく場所。

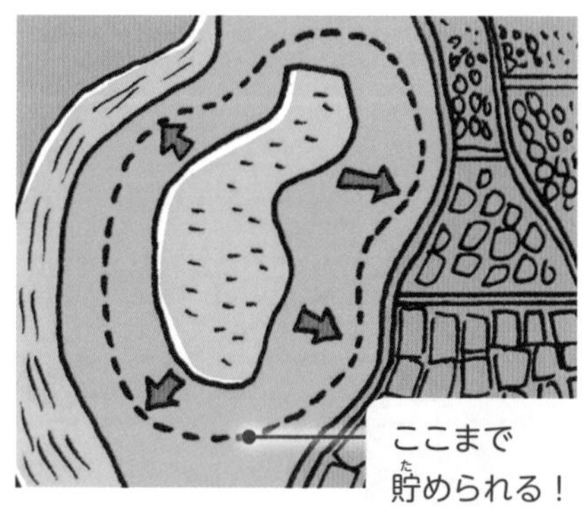

いろいろな施設や設備が都市を守ってくれているんだ。

もっと教えて❶ タヌポン

長所	マイペース。細かいことは気にしない
言葉	関西弁
特技	お金の計算
好きな食べ物	うどん・そば
マイブーム	移動したいとき，運んでくれる人のポケットやフードなど納まりのよい場所を見つけること
気になる人	あーちゃん（フユミのアライグマのぬいぐるみ）

MEMO
他を抜く力があるらしい。

竜巻から身を守れる場所

つむじ風と竜巻の違い

つむじ風		竜巻
乾燥して，日差しの強いよく晴れた日に起こりやすい。	起きやすい状況，前兆は？	急に空が真っ暗になり，雲（積乱雲）におおわれる。
地形や建物などに風が当たった影響で発生する渦巻き。	原因は？	積乱雲による強い上昇気流で発生する激しい渦巻き。
日本全国どこでも起きやすい。	起こる場所は？	海の近くや平野など，広く平らな地域で起きやすい。
直径数 m から大きくても直径数十 m ぐらい。	大きさは？	直径数十 m から大きいもので直径数百 m に及ぶ。
気温 25 度前後の 3 月から初夏に多い。	いつ起きる？	台風シーズンと同じ 8 月から 10 月に多い。
寿命が短く，被害が起きることは珍しいが，大きいと運動会のテントなどを吹き飛ばすことも。	被害は？	大きいものは家や車を吹き飛ばし，電柱を倒すほどの被害も。

ええか、竜巻っていうのはああいうヤツや。
え？
ギョエーー!
ゴー
タヌポン、守り神でしょ！災害を封じ込める力とかないの!?
そ、そうか!!
わしには災害を封じ込める力が……
ないっ!!
そんな都合のいいもんあるかい

とにかくすぐにみんなで避難や！
グイッ
よし！あの橋の下に行こう！
ブー
周りを囲まれてないからダメ!!
何い!?
じゃあ、あの仮設トイレは…。
ブー
軽い建物は壊れる可能性があるんや！
すぐそこの市役所は!?
正解!!
はいっスーパータヌキくん!!
茂霜市役所
SUPER

竜巻がきたらどうする？

家の中なら

- 窓から離れよう。
- 地下室か一番下の階へ移動しよう。
- なるべく家の中心あたり，窓のない部屋に移動しよう。
- 顔を下に向け，できるだけ低くしゃがみ，頭や首を守ろう。

外にいるときは

- 近くの頑丈な建物に避難しよう。
- 建物が近くにない場合は，飛んできたものから身を守れるような物陰に身を隠そう。頭を抱えてうずくまる姿勢で。

車の中にいる場合は，車ごと飛ばされる可能性もあるから，車の中でも頭を抱えてうずくまろう。

竜巻の強さ

竜巻の強さは，1971 年にアメリカ・シカゴ大学の藤田博士が考えた「藤田（F）スケール」をもとに，日本版に改良された「日本版改良藤田（JEF）スケール」の６段階で表すよ。

藤田哲也博士

被害状況

階級	風速(m/s)の範囲(3秒平均)	主な被害
JEF0	25～38	飛んできた物で窓ガラスが割れる。物置や自動販売機が倒れる。
JEF1	39～52	木造の家の屋根が吹き飛ぶ。車や電車が横転する。
JEF2	53～66	木造の家が変形し，大型車が横転する。電柱や大木が折れる。
JEF3	67～80	木造の家が倒れ，鉄骨の家も浮き上がる。道路がはがれ飛ぶ。
JEF4	81～94	工場や倉庫など大きな建物の屋根がはがれ，吹き飛ぶ。
JEF5	95～	鉄骨の倉庫が倒壊する。鉄筋の集合住宅も一部変形する。

「竜巻」の名前の由来

英語ではTornadoというよ。

一説によると，雲から地上へと細長く伸びた渦の様子が，雲に頭を突っ込もうとする巨大な竜の尾に見えたことから，「竜巻」と呼ばれたそう。

2章

いろいろな場所での災害

波にも危険がいっぱい

ある日曜日。
なんかくもってきたね。
午後は大気が不安定だって言ってたな。
クイッ
きたか?
うわわわわー
グググ
え?
がんばれハルトー!!
いけるぞ!
グン!!
ザパッ
スポ
よっと

警報のレベルって？

危険度

注意報

災害のおそれがあると注意をうながすもの。

大雨，強風，洪水，波浪，高潮，雷，大雪など

警報

重大な災害が起こるおそれがあることを警告する。

大雨，暴風，暴風雪，洪水，波浪，高潮，大雪

特別警報

数十年に一度しかないほどの重大な災害が起きるおそれがあるときに発表される。

大雨，暴風，暴風雪，大雪，波浪，高潮

フー…。
これ本当に
持って帰る
のか？
なんか
気になる
じゃん。
あ。
ど…
洞窟や！
恐竜の化石が
あるで、コレ!!
ハルト？
どした？
化石――――!!
ダッ
ハルト――！
高潮の危険が
あるから
戻りなさい！
ピタッ
たかしお？

そもそも… 高潮って何？

高潮は台風や気圧の変化によって海面が上がり，さらに強風が吹くことで破壊力をもった波が打ち寄せることだよ。

高潮が起きると危険なところ

特に海岸付近の低い土地は，海との高さの差がほとんどないため，高潮によって海水が流れこんでくるおそれがある。

高潮と高波はどう違うの？

高波は，強風が原因で起きる「高い波」のこと。穏やかな天候であっても10m を超える高さの高波が打ち寄せることもある。

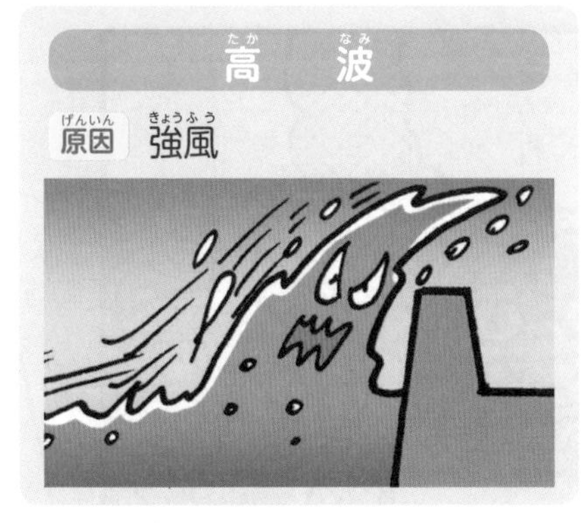

高潮注意報発令中のため…
ザー
ザー
ん？なんか光ってないか？
ピカー
パカッ
バイーン
ふわぁ〜〜。よく寝たサーーー。
お前は！シーサー!?
ワカメまみれサー。

ただいまー
おかあさん！タヌポンの友達を連れてきたよ！
はいサ～い
何？ 生きてんの？
いらっしゃい！よく分かんないけど、ゆっくりしてってね。
サー…
てかまさか住むつもり？
で、魚は？
もちろんたくさん釣ってきたんでしょ？
ははは……。
今日はワカメづくしよ♥
たーんとおたべ♡
うんうまいよ
うまいね

外で天気を調べる方法

ラジオ

その土地のローカル局の番組なら，もっと詳しい天気が聞ける！

スマホ

検索バーに「○○（調べたい場所） 天気」と入れて検索。

177に電話する

「177」と押すだけで，電話をかけている地域の天気が流れる。

※公衆電話の場合はお金を入れよう。

こんな言い伝えもあり！

下駄を投げ飛ばす

雨!!

カコン

表向きなら晴れ，裏向き（靴底が上）なら雨，横向きならくもり！

津波と高潮の違いって？

津波はなぜ起こる？

地震や海底火山の噴火によって海底や海面が激しく動き，津波が発生する。台風や気圧の変化で起こる高潮とは原因が異なるんだ(p.61 参照)。津波はすさまじい勢いで陸上に流れ込むと同時に，引く力も強く，さまざまなものを沖へ流し去ってしまうよ。

原因❶地震

原因❷火山の噴火

津波は，発生した海の水深が深いところではジェット機並みの速さで進むんだって…。

高潮と津波はどう違うの？

高潮と津波は，エネルギーの大きさや波長（波の山から山の長さ）がまったく異なるよ。高潮は数十 m ～数百 m の波長でどんどんくるが，津波は波長が数 km ～数百 km にもなり，一気にどーんと押し寄せてくる。

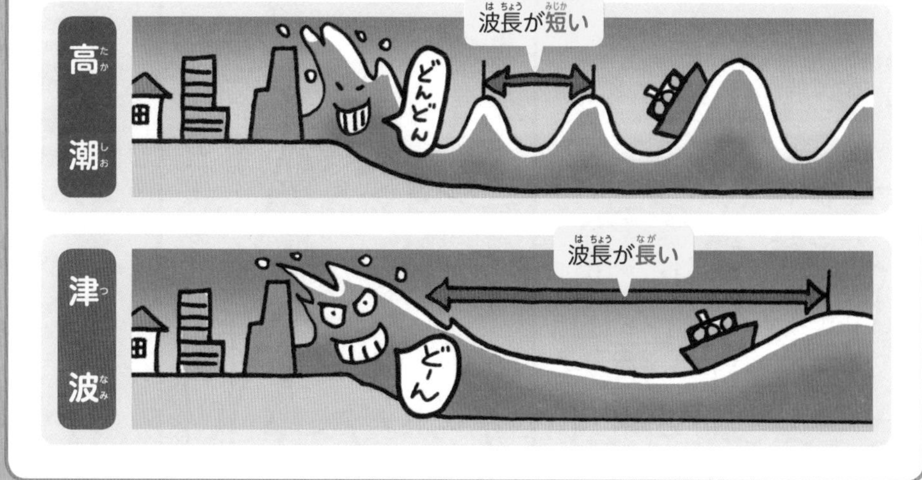

コロン
カラン
カラン
カラン
カラン
一等、旅行券
大当たり～！
でかしたー！
タヌポン!!
やる時は
やるで
シーーーン
一等
さて、この旅行券で
どこに行くか…。
家族会議を
始めます。
議長
は、はい…。
川でアユ
釣り…。
ハイ、却下。
この時期、
台風で
川の増水が
危険です！
早いネ
ドン
議長
あーダメすか

とんぼ山フラワーパークがいい！
ハイ、却下。近くの山で落石あり！
絶対に恐竜ランド！
ハイ、却下。最近集中豪雨が多くて、土砂崩れが心配！
う〜〜、海が見たいサ〜〜。
ハイ、却下。テレビで見なさい！
わしは…。
ハイ!!却下!!
静粛にっ!!
レッツゴー温泉
勝訴!!
今回の旅行は温泉に決定します！
ま、いつものことか…。

でも起きる！

山

山登りや冬のスキーなどで人気のレジャースポット。季節によって美しい景色で楽しませてくれる一方，大きな災害のおそれも。

起こる可能性のある災害

土砂災害　落石　雪崩

覚えておきたい防災標識

土石流

がけ崩れ

海

夏ならではの海水浴はもちろん，砂浜でのバーベキューなども楽しめる人気の遊び場には，絶好のシーズンである夏以外にも危険がひそんで…。

起こる可能性のある災害

津波　高潮

覚えておきたい防災標識

津波

危険があることも知ったうえで楽しむサー。

川

自然そのものを楽しめるダイナミックな川下りをはじめ，川釣りやキャンプなど遊び方はたくさん！ただし，川ならではの危険には要注意。

起こる可能性のある災害

洪水　土砂災害

覚えておきたい防災標識

洪水

土石流

都市部

タワーや商業施設での買い物など，観光でも人気の都市。開発の影響もあり，近年はこれまで経験したことのない災害も発生…！

起こる可能性のある災害

内水氾濫　ヒートアイランド

覚えておきたい防災標識

洪水

さてと…。どこの温泉に行こうかしら。
日本地図
結局さ、日本全国どこでも災害が起きる可能性があるってことは…。
温泉だってヤバいんじゃ…ムグッ。
サッ
ママは家族の健康も考えて、温泉を選んだんだよネ！
当たり前じゃない！
冷え性の体を芯から温めてリラックス！最近ハリのなくなった肌にもよし！あと温泉まんじゅうね！あー、もう温泉、サイコー！
グッ
ご、ご自身のことばかりのようですね…。
ハハ…

外出先での災害

もし，その場所が安全でないなら…

もし，その場所が安全なら…

その場にとどまろう。

避難指示に従って避難しよう。

一時集合場所

避難場所へ避難する前に，一時的に集合して様子を見る場所のこと。公園や学校など。

避難場所

避難した人の命を守るために必要な場所。大規模な公園や広場など開けた土地が多い。

避難所

災害により行き場をなくした人を，一時的に受け入れる場所。物資の提供なども行う。

夜間や悪天候のなかの避難になったら…もっと注意が必要だわ。

そんなところまで！

土砂災害

レインボースマッシュ!!
カコ
ボロ負けやん…。
フフフ…
シーサーのくせになんでこんなに強いんだよ!
もういやだぁあああ!
バッ
そもそも川や海が近くにないのに雨ぐらいで…なんで…
ガラッ
通行止めなんだよー!
えー!?
土砂災害知らないのかよー
調べろよーコノヤロー
山びこが返ってきた!?

そもそも…土砂災害って何？

がけ崩れ

起きやすい場所 がけや急な斜面

雨や地震により，急激に斜面が崩れ落ちること。突然起きるので，逃げ遅れる人も多い。

前兆 がけにひび割れができる／がけから水が湧き出る／小石が落ちてくる。

地すべり

起きやすい場所 ゆるい傾斜の土地

地下水などにより，土地の一部，または全部がゆっくりと下に滑り落ちること。動く土の量が多いので，道路や電気にまで影響する。

前兆 井戸の水がにごる／地面にひび割れができる／山の斜面から水が吹き出す。

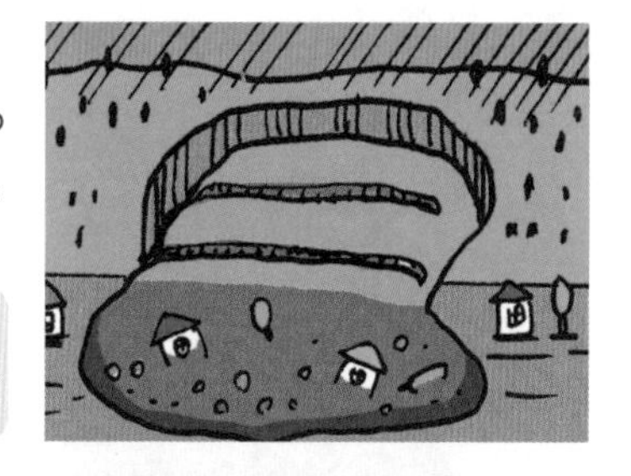

土石流

起きやすい場所 山から流れる傾斜が急な谷や川

大雨などによって，山や川底の石，土砂が一気に押し流されること。時速 20 ～ 40km の自動車なみのスピードで家や畑などを壊す。

前兆 山鳴りがする／川の水がにごる／くさった土の臭いがする。

いきなりお父さんクイズ

Q 土砂災害が起きる原因で一番多いのはどれ？

❶雨　❷地震　❸噴火

答え ❶雨　短い時間にたくさん雨が降る「豪雨」や，数日間雨が降り続く「長雨」のときに発生しやすい。

シャッ
車が通れないなら歩いていけばいいじゃん！
通ったら危ないって言ってるのヨ！
ひょい
おわー
そーねー…。
どこか行けるところはないかしら…。
どっか行きたい
あら！ここなら電車で行けるわよ！
サッ
え!? どこどこ！
翌日。
ザー
ボロッ
人形博物館
入口
……….。
わーー！楽しそう〜〜！

災害と交通機関

すぐそばで起きた災害の影響は分かりやすいけど，離れた場所で起こった災害が，遠くの交通機関にまで影響を与えることがある！

道路

土砂災害や大雨による冠水など。

鉄道

落雷や倒木による架線の故障など。

飛行機や船

強風や台風の接近による欠航など。

よい子のみんな！
交通状況は事前に調べて，
災害には
ち・か・づ・く・な！

もっと教えて❷ シーサー

MEMO
実は，あだ名をつけてもらったタヌポンを羨ましいと思っている。

長所	とにかく明るい，陽気
言葉	沖縄の方言は話さないが，語尾にサーがつく
好きな言葉	なんくるないサー
特技	卓球
好きな食べ物	ゴーヤーチャンプルー，サーターアンダギー
マイブーム	語尾にサーがつく言葉を探すこと（例：ミキサー，ダンサー，アラサーなど）

番外編 人形館での再会

人形博物館
入口
人形が人形見て、どないすんねん～！
その通りサーー！
こけし
あら！
およ？その声はおもちゃの神様？
こけし
あんたたち何してんのよ！
ピカー
大神様
実はこんなことがあったサー…。
かわいい弟子たちよ…。頼みがある。
最近、人間界で災害が続いておって心配でのう…。
人間界の防災力を高めてほしいのじゃ。
防災力？

さよう。災害から身を守る力を人間に授けたいのじゃ。
お前たち3人が集結して、ひと家族ずつ防災力を上げ、上がったと感じたら次の家へ。10家族達成したらコンプリートじゃ！
…それ、ぼくらに何かメリットあるんすか？
ガチで…
あるっ
極楽リゾート2泊3日じゃあぁぁあああ！
極楽
やります!!
人間界での仮の姿はこれじゃぁあああああっ！
何で
これなの
サー!!
た、たぬき～!?
てな具合でサー……。
へー…
私も同じようなものよ。そういえば、もう一人はどうしたのよ？
あー、忘れてたサー。
タヌポン、シーサー、そろそろ行くよー！
呼んでるから行くわ。
じゃあね！
あ、うん。

ずっと入ってたいサ――。
あー、気持ちいいなー。
まだまだいけるんだからー！
サイコーだね。
あっついお茶飲みたい！
砂蒸し風呂
ママ〜、あついよ〜。
じゃあパパとあっちでジュースでも飲んできなさい。
ママはまだまだいくわよ♡

噴火の秘密

活火山とは，今でも活動している火山のこと。日本には，約110もの活火山があり，その数は，世界全体の7％にもなるんだ。

噴火はどうして起こる？

地下の深い場所（2～20km）にたまったマグマ（岩石が溶けたもの）が地上に噴き出すことで起きる現象。

うひょー！
世界から見ても日本の火山の数って多いんだな。

大丈夫、ここまでは来ないよ。
ほんとぅ？
ねー、この後、火山を見に行こうよ。
かっこいいじゃん！火山！
ピクッ
ゴゴゴゴゴゴ
ゴゴゴ
ねー、行こうよ、今行きたいよ！マジお願い、一生のお願い、いいじゃんかー!!
危ないでしょーが!!火山なのよ!!
ドーン
ぶわっ
ひいいいいい!!

噴火の危険

噴石

噴火によって吹き飛ばされる岩石のこと。大きな噴石は建物の屋根を壊したり，登山者を死傷させたりすることも。

火山灰

火口から吹き出す大量の灰のこと。風によって火口から離れた場所に積もることもある。灰によるスリップ事故などで，交通に障害が起きる。

火山ガス

噴火で出るガスのこと。一部，人体に有害な成分を含むことも。空気より重く，下にたまりやすいので気づかないうちに命の危険が！

溶岩流

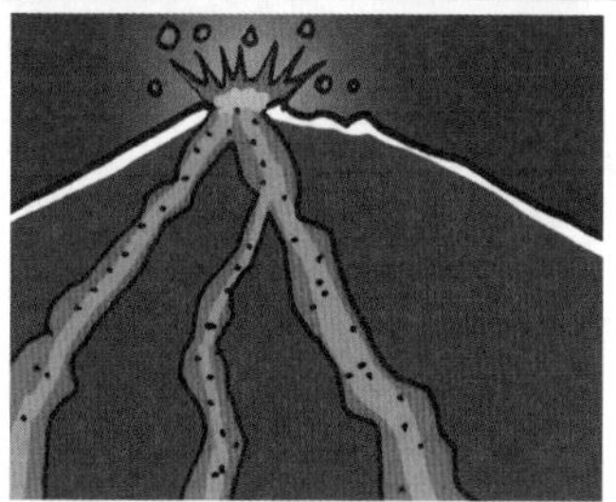

地上に出てきた溶岩（マグマ）が火口からゆっくりと流れ出ること。溶岩は 1000 度の高温で，途中の木々や建物を燃やしつくす。

火砕流

火山灰などの火砕物が火山ガスと一体になり，すごい速さで山の斜面を流れること。中心の温度は 500 度以上になり，熱風をともなう。

空振

爆発的な噴火により，空気が激しく動き，その振動が遠くまで伝わること。建物や車の窓ガラスが突然割れることがある。

お客様…、
あのー…、
お連れ様が…。
んあ？
ひぃ…
どしたの
二人とも!!
ヒカラビ〜
ゴゴゴ…
だらだら
あのときは
ヤバかった
サー！
ギャハハハ
ギャハハハ
笑うなサ〜…

火山も役に立っている！

火山は恐いことばかりじゃない。私たちの暮らしに役立つこともたくさんあるんだ。

温泉

マグマから発する地下水が熱で温められて湧き出したもの。独特の香りは，火山ガスに含まれる二酸化硫黄などの成分。

地熱発電

マグマの熱を利用して水を沸かし，発生した水蒸気から発電する方法。農作物の温室栽培などにも利用されている。

美しい風景

火山は特徴のある姿であることが多く，池や湖など周囲の地形も含めて美しい景観を生み出す。

湧き水

火山が天然の浄化作用となるため，火山の周りにはきれいな湧き水が出ていることが多い。

火山灰による影響って？

噴出した火山灰が，風に流されて遠くの場所に降り積もる現象を降灰という。

❶農作物の品質低下　❷健康被害　❸交通の妨げ

噴火の前兆ってあるの？

前兆が見られるときもあるけど，前兆があったからといって，すべて噴火するとは限らないよ。

足元から響くような地震が続く

山全体が膨張する

地面がわずかに持ち上がる

噴煙や音，異臭などがある

噴火から避難するときの服装

ゴーグル
火山灰が目に入るのを防ぐ。目が悪い人は，コンタクトよりもメガネがおすすめ。

マスク
火山灰を吸い込むのを防ぐ。

ヘルメット
噴石などから頭を守る。

リュック
両手が使えるように。

長ズボン

手袋

長そで

運動靴

富士山も活火山だなんて！

富士山ができるまで

数十万年前	小御岳火山が噴火を繰り返しながら 2400m ほどになる。
約十万年前	小御岳火山の南側で古富士火山が噴火を繰り返し，高さ 2700m に到達。
約一万年前	古富士火山の中心火口から噴火が起こり，新富士火山の活動開始。海抜 3776m の高さに成長。 現在の富士山となる。

昔の日本人は，たびたび私が噴火する姿を見て，神様が住む神聖な山としておそれうやまっていたんだ。

いきなりお父さんクイズ

Q 富士山の山頂でお湯が沸く温度は？

❶ 100 度
❷ 90 度
❸ 80 度

Q 富士山が湖などの水面に映ることを何という？

❶逆さ富士
❷富士鏡
❸反対富士

Q 富士山のふもとにある浅間神社。建てられた理由は？

❶登山する前にお祈りできるように。
❷ご利益が得られるように。
❸富士山の噴火を鎮めるため。

答え 1問目：❷90度　2問目：❶逆さ富士　3問目：❸富士山の噴火を鎮めるため。

川の増水、油断は禁物！

今日は「キョウリュウGO!」のレアキャラキャンペーンだぁあああああ!!
レア!!
キョウリュウGO!
わかった、わかった。
フンッフンッ
今日はゲリラ豪雨になるかもしれないって！早く帰ってきなさいよー！
レアキャラどこやー！レアキャラ、レアキャラ、わー！わー！
こんなとこ、電波届くんかいな…。
ピロン♪

いよっしゃあああ!!
レアキャラゲットォ
オオオオ!!
レアノザウルス
なんやねん
レア度 960
おもさ 1トン
高さ 3メートル
バッ
さ、帰るか。
ところで、
ここどこ…?
サッ
やべー!
今日、ゲリラ
豪雨になるって
言ってたな…。
ヒョイ

あー、キミたち、もうすぐ雨が降りそうだからそこは危ないよー!
川遊びは大人といっしょにネ!!
えー、まだ雨降ってないじゃん。
スーン
大丈夫っしょー!
ノンノンノン…。ここは降ってなくても山頂で降り始めていたら一気に川の水かさが増すんだ。
ヤレヤレだぜ…
早く帰りな…。
雨降ってないのに、川の水なんか増えないっしょ!大げさだぜ!
ピク
あっ、あいつの帽子「キョウリュウGO!」の限定グッズだ。いいなー!
かっこいいなあ…
うらやましいなあ…
すっげぇ…
いいなあ
いいなあ…
いいなあ…

雨が降っていなくても増水する!?

川の上流で増水した水が下流に流れるまでには時間がかかる。そのため，川の下流では雨が降る前，もしくはすでに雨が止んだ後でも，川の水が急激に増えることがある。

長い時間，
雨が降ったときは
地盤がゆるんでるん
やで。

川の上流（山頂付近）

雨が降っていて，増水する。

だから，
雨が止んでも，
土砂災害が起きる
可能性があるサー。

川の下流では…

まだ川は増水していない。
子どもたちは遊んでいる。

ものすごい勢いで川が増水する。
慌てて避難する。

なんかさっきより水が増えてねえか？
もう帰ろうよ。
ピュー
あっ帽子が…！
ザー
？
仕方ねえ…。そらよっ！
バッ
エクストリームダブルレシーブ!!
パシィ
スポッ
くるくる
え――!?
スタッ
パシャア
じゃあ元気でな…。
すげー！
お兄ちゃん、ありがとう！
コラ――！置いていくなサー!!
…。

いきなりお父さんクイズ

Q 次の川のうち，一番増水しやすいのはどの川かな？

❶幅の細い小さい川

❷中くらいの川

❸幅の広い大きい川

❸の大きい川！ だって大きいから，ちょっと雨が降っただけで，ドドーッとあふれちゃいそうだもん。

ブッブー。**❶の小さい川**だよ。小さい川は流れる水の量が少ないから，急に水位が上がるんだ。

※実際の増水の仕方は，地形や気象状況によって異なります。

川の増水を見極めるポイント

1 川が水を貯められる広さ

流域面積ともいうよ。

2 川の幅と深さ

幅が大きくて深ければ，かなりの量の水を貯められるよ。

3 川の傾き

斜面が急で，短い川は特に要注意！

集中豪雨や短時間でたくさん雨が降る場合など，雨の降り方にも注意！

楽しい雪山では雪崩がある

雪道の上手な歩き方とは？

① 小さな歩幅で。

② くつの裏全体を地面につけて，やや内またで。

③ 急がずあせらず，余裕を持って。

では…そろりそろり…

狂言師かーい！

どしたそのかっこう…

ねえ、見て♥
あーちゃんだよーー！
恐竜。
見よ！この力作を！
負けないんだからっ！
オレのほうがスゲーの作るんだってての！
ペタ ペタ
ペタ
ペタ ペタ
ペタペタペタ
ペタ
あっ！あっちのほうに降りたてのきれいな雪がある！
グラ グラ グラ
グラ
なにぃ！オレのもんだ！
待てっ！そっちは雪崩の危険がっ！
でかいな!!

雪崩が起こりやすい場所

雪山で遊ぶ前に，この場所を知っておけば，より安心して雪遊びができるね。

起きやすい地形

傾斜 35～45 度で雪崩が起きやすいと言われている。ただし，それ以外の斜面でも油断は禁物！

雪が滑りやすい地表面

木が少ない斜面や，逆に背が低く滑りやすい植物が生えている斜面は注意が必要。

はりだし（雪庇）

山から雪がひさしのように張り出した「雪庇」。かたまりで落ちてきて雪崩が発生することも。

雪崩の前兆ってあるの？

山の斜面につもった大量の雪が，突然崩れ落ちる「雪崩」。次の様子が見られたら，すぐにその場からはなれよう。

しわ

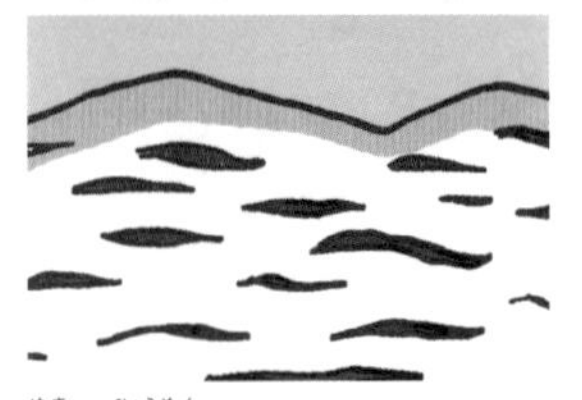

雪の表面がふやけたようになっていたら，雪が少しゆるんでいるサインかも!?

亀裂

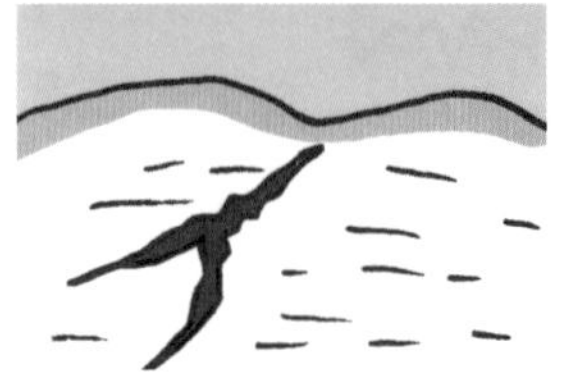

雪が少しずつ動いているときにできる引っかき傷のようなさけめに注意。

雪玉

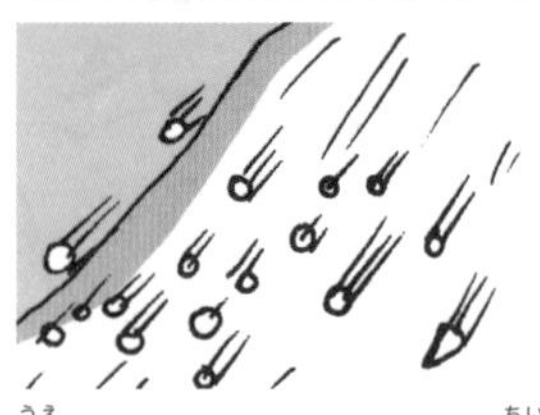

上のほうからコロコロと小さな雪玉（スノーボール）が落ちてくる。

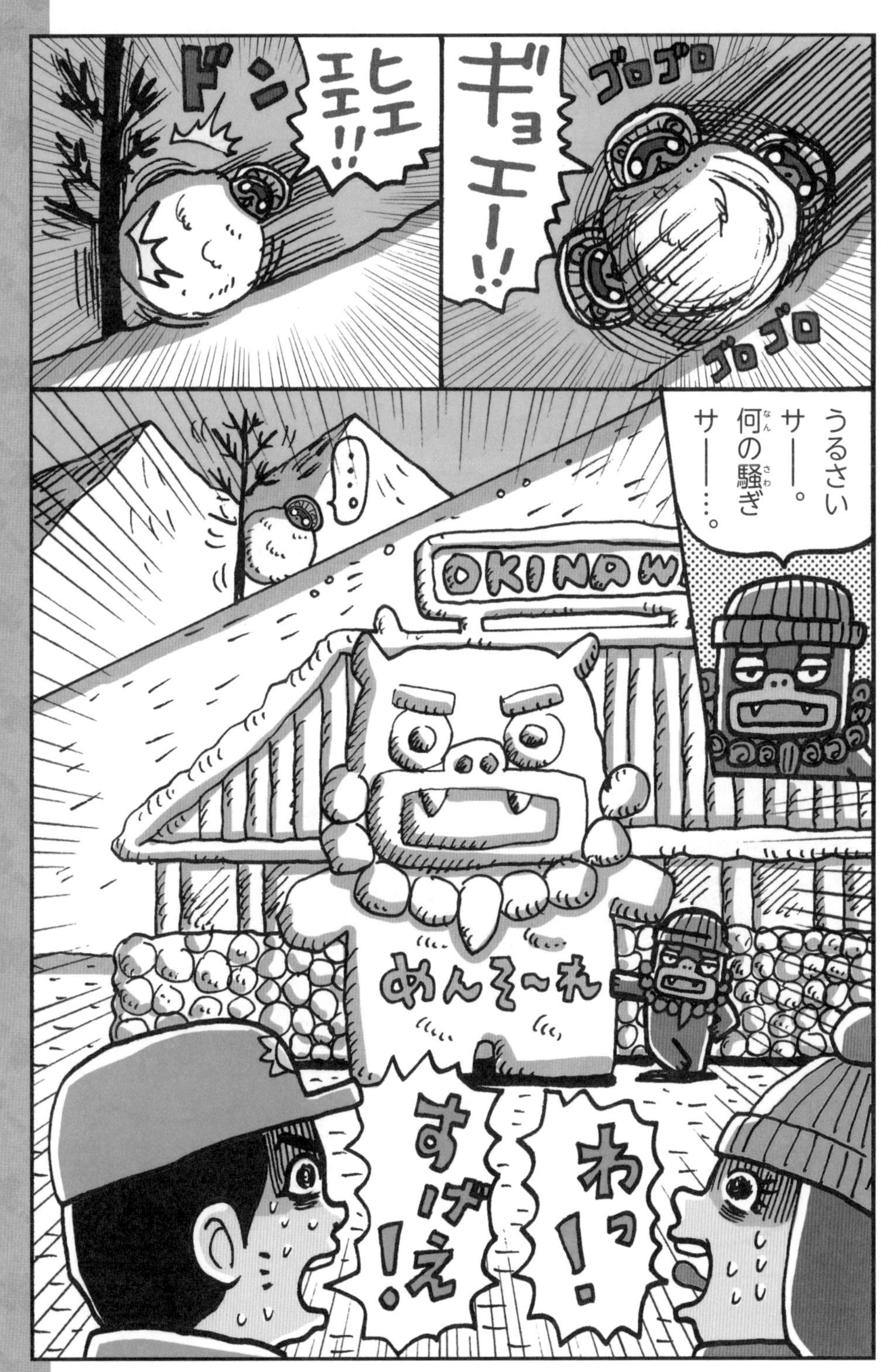
ドン
ヒエエ!!
ギョエー!!
ゴロゴロ
ゴロゴロ
…!
うるさいサー―。何の騒ぎサー―…。
OKINAW
めんそ～れ
すげえ!
わっ!

雪崩のおそろしさ

危険❶ 雪崩の速さ

雪崩の種類によっては，時速 100 ～ 200km の新幹線並みのスピードでおそってくることも！

危険❷ 雪崩の威力

雪崩は木々をなぎたおし，大きいものになるとコンクリートでできた建物さえもおし倒してしまう。

※雪崩危険箇所とは…過去に雪崩が発生したなど，雪崩に特に気を付けたい場所のこと。各都道府県のホームページなどで確認しよう。

3章

地震と火事に備えよう

火災のときの最優先

ある日曜日――。
んがー
お兄ちゃん！起きて！すごい煙！
モク
モク
ひえー火事だああ
やべーー!!
フー…
それ地震のときだから！

やべー!!
どーしよどーしよ
じたばた
じたばた
ちょっと!落ち着いて!
モクモク
ズズー
カコーン
それ、落ち着きすぎ!
どないしよー!
まずは煙を吸わないように下に降りよう!
モクモク
モクモク
わ、わかった!!
隣の家が火事だ!!すごい煙が出てる!
なにぃ!すぐ外に避難だ!

火事が起きたらまずすること

とにかく逃げる！

自分で消そうとせず，すぐ逃げる。あっという間に逃げおくれるぞ。

周りの人に知らせる

小さな火であっても，大声で「火事だ！」と周りの人に知らせる。

安全を確保できたら119番

まずは避難が最優先。安全な場所に逃げられたら，119番に電話しよう。

119番で伝えること

どこで何が起きているか

- 火災か救急か
- 火災の発生している場所
  (建物名や目標になる建物などがあれば伝える)
- 何が燃えているか

自分がどこの誰か

- 名前　●住所　●電話番号

焦らず，まずは落ち着くサー。

火事だ、火事だー!!
モク
モク
モク
ママは119番に電話を!
はいっ!
ハルト!消火器を持ってきて!
はいっ!
プシュー
モク
モク
モク
モク
モク
あっ。大事なものを忘れてきた!取ってこなきゃ!

ちょっと家に行ってくる！
ハルト!! 戻るな！
は、はいっ…。
なんかかっこいい!!
お騒がせしてごめんなさい！サンマを焼いたら脂に火がついちゃって…。
本当よ!!
今年のサンマは脂がのりすぎなのよ…。
サンマのせい!!
ボヤで済んでよかったですよ…。
ハハハ…

父さん！今日はかっこよかったよ！
日頃から消防団の防災訓練にちゃんと参加してるからな。
ところでさっきは何を取りに戻ろうとしたんだい？
あー、ぼくのリュックだよ！
大事なものが入っててさ…。
ゴソゴソ
わ…、わしらのことか…！
※リュックの中の様子です。
これだあああ！
キョウリュウGO！大図かん
これですべてがわか
バッ
あー…
それか。
ですよね…。

そもそも…

消防団って何？

消防団の消防団員とは

18歳以上なら誰でも入れる地域防災のリーダー！　会社員や主婦，学生などをしながら，火災や地震が発生したときに消防活動を行う非常勤地方公務員。

消防署員との違い

消防署員は消防署に所属し，24時間体制で働く公務員。災害現場での活動や救命救急，防災のプロ。

消防団の歴史　前身である「江戸の町火消」のココがスゴイ！

“火事とけんかは江戸の華”と言われるほど，江戸時代は火事が多かったんだ。

スゴイ！①

水が貴重で，今のような消火技術もなかったため，火元より風下の家を次々とこわして火事が広がるのを止める「**破壊消防**」だった。

火事が起こると，半鐘（小さめの釣り鐘）の鳴らし方を変えて火元までの距離を人々に知らせた。

例　1打ずつ間かくを空けて打つ…火元は遠い
ジャンジャンジャンと連打…火元が近い

江戸の人口のうち，5人に1人が火消だった！

スゴイ！④

庶民の人気者で，女性にモテモテ！

火事が起きた時にすること

非常ベルが鳴ったら

すぐに逃げよう

理由
原因を確認する時間はない。

煙の中を避難するなら

低い姿勢で逃げよう

理由
床のそばにはまだきれいな空気がある。

燃えている部屋から避難するなら

ドアを閉めよう

理由
他の部屋に広がるのを防ぐ。

料理油に火がついたら

火元を消そう

理由
水をかけたら広がるぞ。

消火器の使い方知ってる？

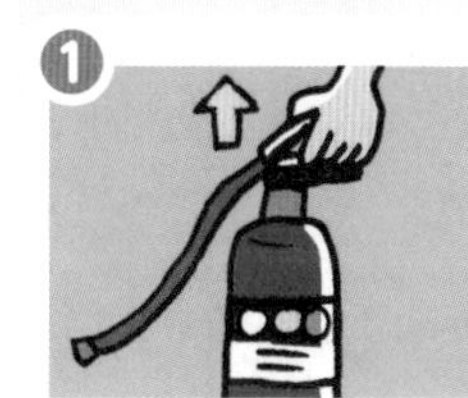

① 安全ピンを抜く。

ぼくの中には、火を消す薬が入っているよ。

② ホースの先を火元に向ける。

風上から火の根元をねらうんだ。

③ レバーをにぎり、ふん射する。

15秒ぐらいしかふん射できないんだ。

避難訓練にゴールなし

ここ、大事だぞー。
ふわあ〜
♪ピンポンパンポーン♪
訓練です、地震が起きました。ただちに机の下に隠れてください。
ゆれが収まったら校庭へ避難してください。
あれ？今日、避難訓練だっけ…。
目がさめたぜ…
ザワザワ
いきなりだからビビったぜ…。
とにかく机の下に隠れましょ。

算数がなくなってラッキーー！
く、訓練と思わせて本当に地震が起きてたらどうしよう…。
ピクピク
オロオロ
訓練だって言ってるでしょ！早く防災頭巾、かぶりなさいよ！
早く！
んだよ、うっせーなー。
うっせーって何よ！
そんなダセーのかぶってられっかよ！
オイ、そこーー！早くしなさい！
大丈夫か？
ヤバいって…
ヤバい…

パニックにならないためには？

おかしもで，安全に避難しよう。

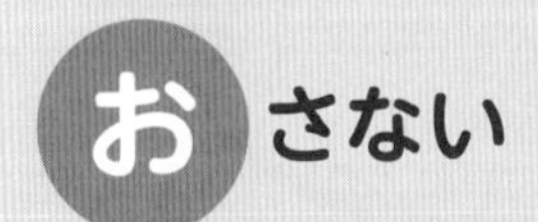

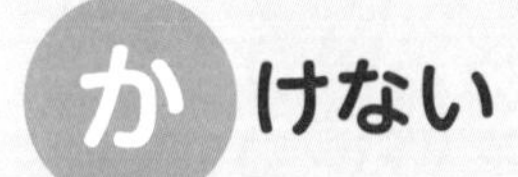

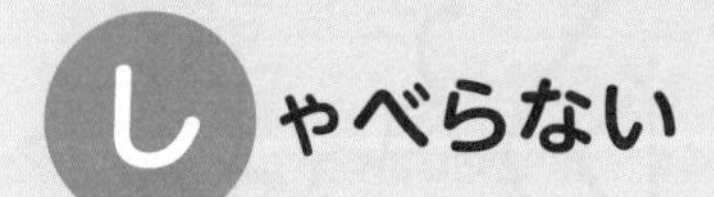

訓練のときから意識しておけば，
いざという時も落ち着いて
行動できるサー。

災害というのは何でもないときにこそ注意すべき…
校長
本当に役に立つのかな。
そうだよね…。本当の地震が起きたらこの程度の訓練なんて…。
オロオロオロ
ワーー!!
そのための訓練だって言ってるでしょ!
絶対に役に立つよ!
実はこの前、隣の家でボヤが出てね…。
キラキラしてる…
いいぞ、ハルト!

ただいまー。
ぴょこ
おかえりー。
お疲れさま！
ハルト！
防災意識が
高まったところを
見こんで
頼みがあんねん！
実は
わしらは
3体1組で
活動する
防災の神さん
やねん！
？
へー!!
ご当地アイドル
みたい！
Kamicco♡
もう一回言うけど
神さんやねん！
で？
やねーん
やねーん やねーん…

わしらは住み着いた家の防災力を高めたら次の家へ旅立たなあかんねん…。
備江家も防災力が高まってきたから、ぼちぼち、次に行ってもええと思ってるんやけど…。
え？そうなんだ!?
残りの1体がまだ目覚めてないんサー。
そいつはクマやねん…。もうこの家にいるはずなんやけど。
クマちゃん？
ぬっ
私も手伝うっ！
この家の防災力がまだ足りないのかもしれないサー。
ヒョイ
おわー
無理に起こさなくていいんじゃね？
わっ
ぬっ
頼むサーー！

体験しよう！　防災訓練

消火訓練

家庭用消火器を使って，初期の段階で消火する方法を学ぶ。

起震車

実際にゆれを体験して，落下物などから身を守る方法を学ぶ。

煙体験ハウス

火事で建物の中はどうなるのか，煙からどう逃げたらよいかを学ぶ。

応急救護訓練

人形を使って心臓マッサージや人工呼吸のやり方などを学ぶ。

地域で訓練するときは近くの消防署に相談すればいいのね。

体験するとしないとじゃ，災害が起きたときの心構えが変わるね。

家族と決めておきたい約束事って？

災害時は，自宅にいるか，外にいるかもわからない。家族と離れていても落ち着いて行動できるよう，ふだんから話し合っておこう。

待ち合わせの場所

「○○公園」だけでなく，「○○公園の時計の前」などくわしく決めておくとわかりやすいよ。

連絡手段

災害のあと，伝言を残したり聞いたりできる「災害用伝言ダイヤル（171）」。171 にかける→案内にしたがって番号をおすだけでOK。

家族と会えないのが一番不安。知っておけば安心ね！

公衆電話の使い方知ってる？

災害後に携帯電話が通じなくなったら，公衆電話を使おう。硬貨を入れて，電話番号をおしたら，お金の分だけ話ができるよ。

地震が教えてくれたこと

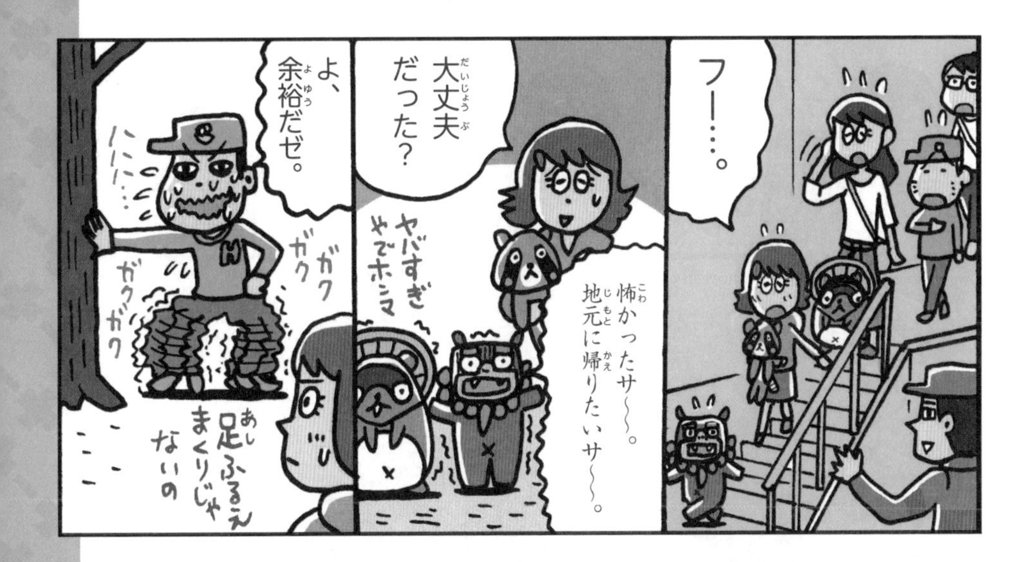

震度0〜7のゆれの目安は？

震度は「ゆれの大きさ」を10段階で表す。

震度	ゆれの目安
0	人はゆれを感じない。
1	屋内で静かにしている人が，わずかにゆれを感じることも。
2	屋内で静かにしている人の大半が，ゆれを感じる。
3	屋内にいる人のほとんどが，ゆれを感じる。
4	歩いている人のほとんどが，ゆれを感じる。
5弱	大半の人が怖いと思い，物につかまりたいと感じる。たなから物が落ち，固定していない家具が動く。
5強	物につかまらないと歩きにくい。たなから落ちる物が増え，ブロック塀が崩れることも。
6弱	立っていることが難しくなる。壁や窓がこわれ，ゆれに弱い建物がかたむくことも。
6強	はわないと動けず，飛ばされることも。家具の多くが倒れる。地すべりなど山の崩壊が始まる。
7	ゆれに弱い木造の建物はかたむいたり倒れたりする。ゆれに強い建物が倒れる場合も。

地震が起きたらまずすることは？

家なら

頭と体を守る

避難する

キーワード
「落ちてこない」
「倒れてこない」
「移動してこない」
場所に避難！

外なら

道路

ブロック塀や電柱，自動販売機から離れる。

買い物中

商品が落ちることもあるので，たなから離れる。

電車

急停車することがあるので手すりなどにつかまる。

学校

机の下に隠れて，先生の指示に従う。

ママ！ ハルト！
フユミ！ あと居候2人！
大丈夫か!?
トイレに入ってた。
大丈夫よ、パパ。
長かったわね
居候ってわしらのことか？
窓を開ける！
ガスの元栓を閉める！
キュッ
緊急地震速報
テレビをつけて確認！
ピカー
ん？ なんか光ってるサー。
こいつまさか…。
カッ

バイーン
なまら久しぶり！マイフレンドたち！
HOKKAIDO
クマーー！
この家の防災力には、さすがのぼくも感服さ！
フフフ…
ち・が・う！あんなのクマちゃんじゃないっ！こーいうやつよっ。

地震が起きたあと

一次災害

建物の倒壊

ゆれに耐えられなくなった家やビル，橋などがかたむき，倒れること。

地割れ

ゆれによって，地面にひびが入ったり，陥没したりすること。

液状化

海や川のそば，埋め立てた土地などで，地盤が液体のようになること。

地すべり

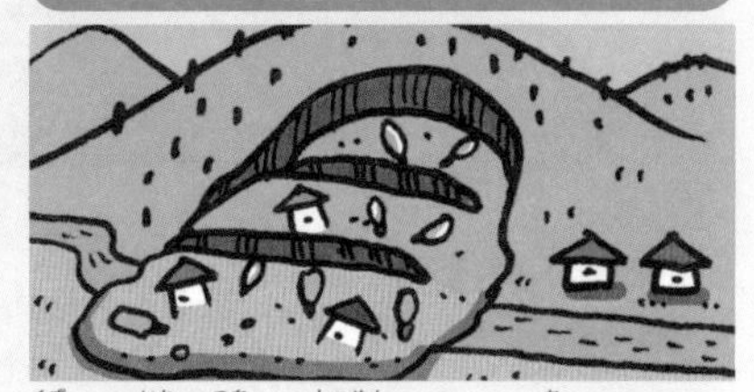

崩れた岩や土が，斜面をすべり落ちること。台風や大雨で起こることも。

二次災害

火災

ゆれで倒れた電化製品や，切れた配線が家具などに触れて火事が起こる。

ライフラインの寸断

生活に欠かせない電気，ガス，水道，通信などが使えなくなる。

津波

地震によって海底が動き，海面を押し上げる津波となって町や田畑を飲み込む。

だから備えが大切なんですな。

こ，こんなに災害が広がるの？

もっと教えて③ 木彫りのクマ（名前：くまのすけ）

長所	コミュ力が高い，ポジティブ
言葉	北海道の方言は話せないが，「とても」のことを「なまら」と言う
座右の銘	少年よ 大志を抱け
特技	レディのエスコート
好きな食べ物	鮭のちゃんちゃん焼き
マイブーム	鮭捕獲 MAP づくり
好きなもの	床暖房

MEMO
本当は，得意分野である「川の増水」の回で登場したかった。

こんなんクマじゃない…ブツブツ
ヘイ、おじょうさん♥
驚かせて、ソーリー…。
おわびに今度なまらおいしい鮭をプレゼントフォー・ユーだヨ♥
キュン♥
え……。
だから機嫌を直しておくれ…。
せっかくだしもらってあげてもいいわよ…。
さぁ同志たち！そろそろ次のご家庭にレッツゴーだ！
急に出てきて仕切るなー!!
さみしーサー

備江家のみなさん、お世話になったサー。
なんだよ、行っちゃうのかよ。
引き続き、防災、頼むサー。
カッ
フワフワ
フワフワ

あっ。そういえば言い忘れてたけど、わしらが防災力を認めたことでちょっとしたごほうびがこの家に贈られるで！
フワ
フワ
フワ
フワ
宝くじが当たるとか？
え!?
ごほうび!?
フフフ…。きっとマダムも気に入りますヨ♥
フワ
フワ
フワ
じゃあ、お楽しみに――！
シュワッ
わっ！飛んでいった！

行っちゃったね…。
うん…。さみしくなるネ…。
ギャーなにこれーー!!
備えあれば
うれいなしやで
タヌポン
KUMA
このラクガキのどこがごほうびなのよーーっ!
あいつら…
今すぐ戻ってこんかーーい!